Peppa joue au soccer

Catalogage avant publication de Bibliothèque et Archives Canada

Peppa plays soccer. Français
Peppa joue au soccer / texte français de Josée Leduc.

(Peppa Pig)
Traduction de: Peppa plays soccer.
"Ce livre est basé sur la série télévisée Peppa Pig."
"Peppa Pig est une création de Neville Astley et Mark Baker."
ISBN 978-1-4431-6874-8 (couverture souple)

I. Baker, Mark, 1959-, créateur II. Astley, Neville, créateur
III. Titre. IV. Titre: Peppa plays soccer. Français. V. Titre: Peppa
Pig (Émission de télévision)

Cette édition est publiée en vertu d'un accord avec Entertainment One et Ladybird Books, une filiale de Penguin Company.
Ce livre est basé sur la série télévisée *Peppa Pig*.
Peppa Pig est une création de Neville Astley et Mark Baker.
Copyright © Astley Baker Davies Ltd./Entertainment One UK Ltd., 2003, pour Peppa Pig.
Copyright © Éditions Scholastic, 2018, pour le texte français.
Tous droits réservés.

Conception graphique d'Angela Jun

Il est interdit de reproduire, d'enregistrer ou de diffuser, en tout ou en partie, le présent ouvrage par quelque procédé que ce soit, électronique, mécanique,
photographique, sonore, magnétique ou autre, sans avoir obtenu au préalable l'autorisation écrite de l'éditeur. Pour toute information concernant les droits,
s'adresser à Scholastic Inc., Permissions Department, 557 Broadway, New York, NY 10012, É.-U.

Édition publiée par les Éditions Scholastic, 604, rue King Ouest, Toronto (Ontario) M5V 1E1 CANADA.

5 4 3 2 1   Imprimé en Malaisie   108   18 19 20 21 22

Il fait soleil aujourd'hui. Peppa et Suzy Mouton jouent au tennis, et George les regarde jouer.

— À toi, Suzy! s'écrie Peppa en frappant la balle. Maintenant, c'est au tour de Suzy.

— À toi, Peppa! crie Suzy en envoyant la balle juste au-dessus de la tête de Peppa. Oh là là!

— *Ouin! Ouin!*

George se sent ignoré.

— Je suis désolée, George, dit Peppa.
Tu ne peux pas jouer au tennis. Nous n'avons
que deux raquettes.

— George, tu peux ramasser les balles!
s'écrie Suzy.

— Ramasser les balles est un travail très
important, George, ajoute Peppa.

Peppa et Suzy s'amusent beaucoup, mais elles renvoient rarement la balle.

— Ramasseur de balles! crient-elles à l'unisson.

— *Han! Han!* fait George qui est très fatigué. Courir après les balles ne l'amuse plus du tout.

Puis d'autres amis de Peppa arrivent.

— Bonjour, tout le monde, dit Peppa. Nous jouons au tennis.

— Est-ce que nous pouvons jouer, nous aussi? demande Danny Chien.

— Il n'y a pas assez de raquettes pour tous, répond Suzy Mouton.

— Jouons au soccer, alors,
propose Danny Chien.
— Au soccer! Youpi!
s'écrient tous les amis.

— Les filles contre les garçons! dit Peppa.

— Chaque équipe doit avoir un gardien de but, dit Danny Chien.

— Moi! Moi! s'exclame Pedro Poney.

— Moi! Moi! s'écrie Rebecca Lapin.

Pedro Poney et Rebecca Lapin décident d'être les gardiens de but.

— L'équipe des garçons va commencer! déclare Danny Chien.

Richard Lapin a le ballon et court très vite. Il passe devant Peppa Cochon, Suzy Mouton et Candy Chat et donne un coup de pied dans le ballon...

qui entre dans le but sans que Rebecca Lapin l'arrête.

— BUT! crient Danny et Pedro à l'unisson.

— Ce gars est un champion! s'écrie Danny Chien.

— Ce n'est pas juste. Nous n'étions pas prêtes, se plaint Peppa.

Rebecca Lapin ramasse le ballon et court.

— Hé! hurle Danny Chien. Tu as triché! Tu n'as pas le droit de garder le ballon dans tes mains.

— Oui, j'ai le droit. Je suis la gardienne de but, dit Rebecca.

Rebecca lance le ballon droit dans le but sans que Pedro Poney l'arrête.

— BUT! s'écrie-t-elle.

— Ce but ne compte pas, dit Pedro.

— Oui, il compte, réplique Peppa.

— Non, il ne compte pas, jappe Danny.

Papa Cochon sort de la maison et vient voir ce qui se passe.

— Quel tintamarre vous faites! grogne-t-il. Je vais faire l'arbitre. L'équipe qui marque le prochain but gagne.

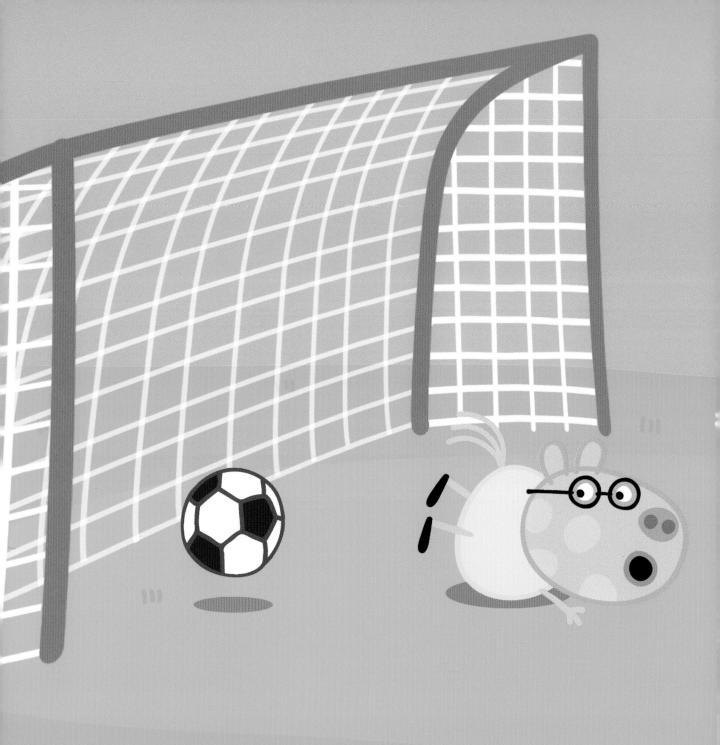

Richard Lapin et George s'emparent du ballon et se mettent à courir, alors que les autres discutent encore.

— Où est le ballon? demande Peppa en regardant autour d'elle.

Mais il est trop tard! Richard Lapin lance le ballon directement dans le but sans que Pedro Poney l'arrête.

— Hourra! Les garçons ont gagné! s'écrie Danny.

—Le soccer est un jeu ridicule, dit Peppa, déçue.

—Un instant, dit Papa Cochon. Les garçons ont marqué dans leur propre but. Ce sont donc les filles qui remportent la partie.

—Vraiment? s'étonnent les filles. Hourra!

—Le soccer, c'est génial! s'exclame Peppa. Toutes les filles sont d'accord.